W9-AQW-889

CE LIVRE APPARTIENT

À _____

LE TOUR DU MONDE AVEC DISNEY

LA FÊTE DES ARBRES

Une aventure en Israël

GROLIER LIMITÉE
Montréal

Version française © 1992 The Walt Disney Company.
Version anglaise © The Walt Disney Company. Tous droits réservés.
Conçu par The Walt Disney Company conjointement avec Nancy Hall, Inc.
Traduction française: Grolier Limitée.
ISBN 0-7172-2952-1
Imprimé aux États-Unis.
Dépôt légal 4e trimestre 1992
Bibliothèque nationale du Québec

Grand'Mère et Donald sont en route vers Israël pour rendre visite à des amis de Grand'Mère qui vivent dans un kibboutz.

«J'ai tellement hâte à demain! Ce sera la fête du Tu Bishevat», dit Grand'Mère.

«Qu'est-ce que c'est que cette fête?» demande Donald, toujours intéressé dès qu'on parle de fête.

«C'est un congé consacré à la plantation d'arbres»,
dit Grand'Mère. «Tout le monde travaille ensemble
pour planter un nouveau bosquet d'arbres.»

«Moi, j'ai hâte de flâner au soleil», dit Donald en
apercevant par la fenêtre une plage. «Oui, monsieur!
Des vacances, voilà exactement ce dont j'ai besoin!»

«Si j'étais toi, je n'espérerais pas beaucoup me reposer», dit Grand'Mère à Donald. «Nous allons dans un kibboutz, après tout. Et nous devrons vivre comme tous les autres membres de la communauté — comme dans une grande famille. Dans un kibboutz, tout — les chevaux, les tracteurs, les bâtiments et la terre — appartient à tout le monde. Il y a beaucoup à faire.»

«Quoi? Du travail?» proteste Donald.

«Mais oui», dit Grand'Mère. «Chacun doit faire sa part. Les gens font la cuisine en commun, ils mangent en commun et font le ménage en commun.»

«Et ils jouent en commun?» demande Donald, plein d'espoir.

«Bien sûr», dit Grand'Mère. «Mais avec la fête qui s'en vient, chacun sera sans doute très occupé par les préparatifs.»

L'autobus arrive dans le kibboutz peu de temps après.

«Shalom!» crient un homme et une femme, dès qu'ils aperçoivent Grand'Mère.

«Shalom veut dire "paix". En Israël, c'est ainsi qu'on dit "bonjour"», explique Grand'Mère à Donald. Puis elle serre ses amis dans ses bras. «Donald, j'aimerais te présenter David et Sarah», dit-elle.

«Shalom, David! Shalom, Sarah!» dit Donald.

David et Sarah font visiter le kibboutz à leurs invités. Grand'Mère et Donald aperçoivent des vergers et des jardins, des granges et des étables, et un immense château d'eau. Il y a aussi une piscine.

«Voilà l'endroit où je vais passer mon temps», pense Donald, tout joyeux.

Le lendemain matin, après une bonne nuit de repos, Donald et Grand'Mère rejoignent David et Sarah pour le petit déjeuner.

«T'es-tu inscrit au concours de plantation d'arbres?» demande David à Donald.

«Non», dit Donald. «Aujourd'hui, je pensais plutôt aller me baigner.»

«N'y a-t-il pas un prix qui sera remis à la personne qui plantera le plus d'arbres?» demande Grand'Mère. «Tu pourrais tenter ta chance, Donald.»

Donald dresse l'oreille. «Il y a un prix? Peut-être que je m'inscrirai après tout», dit-il.

Après le petit déjeuner, chacun se répartit dans les unités spéciales de travail. David conduit Donald et Grand'Mère à un endroit rocailleux du kibboutz.

«C'est ici qu'aura lieu le concours de plantation d'arbres», dit David. «D'abord, nous devons enlever toutes ces pierres.»

Tout le monde se met au travail avec empressement.

«Si nous travaillons tous ensemble, nous aurons terminé en un tour de main», dit Grand'Mère. Ils se mettent tous à chanter pour faire passer le temps plus vite.

Donald n'a pas envie de chanter.

«J'espérais avoir de vraies vacances», grommelle Donald à voix basse. «Si j'avais voulu travailler, je serais resté à la maison!»

Donald ramasse une roche ou deux. Puis, profitant de ce que personne ne le regarde, il se sauve en direction de la piscine.

Donald s'installe confortablement sur un fauteuil de jardin. Juste au moment où il va s'assoupir, quelqu'un lui tape légèrement sur l'épaule.

«Salut! Je m'appelle Ruth», dit la femme.

Donald ouvre les yeux. Là, devant lui, se trouvent une femme et un groupe d'enfants.

«La monitrice du groupe d'enfants est malade aujourd'hui», dit Ruth. «David a pensé que tu pourrais la remplacer.»

«À vrai dire, j'avais l'idée...», commence Donald, mais il n'arrive pas à trouver rapidement une excuse. «D'accord», accepte-t-il à contrecœur.

«Merci beaucoup», dit Ruth qui lui tend le programme. «Passez une excellente journée!»

Une fois les présentations faites, Donald jette un coup d'œil sur le programme. «Commençons par la cueillette des oranges», dit-il aux enfants. «On pourra les manger plus tard à l'heure du déjeuner.»

Arrivé à l'orangeraie, Donald surveille les enfants qui se mettent à cueillir les fruits.

«Il ne faut pas cueillir les oranges une à une», dit Donald au groupe. «La journée va y passer! Regardez plutôt comment je fais.»

Donald grimpe à l'échelle et attrape une énorme branche qu'il secoue vigoureusement.

«Oh! là là!» crie Donald. «Voilà qu'il pleut des oranges!» Il tombe sur le sol en se protégeant la tête.

Les enfants rient et lui viennent vite en aide.

«Je pense qu'il est temps de passer à autre chose», dit Donald avec un petit sourire gêné.

«Nous pouvons ramasser les œufs des poules»,
dit Sheila.

«Quelle bonne idée!» dit Donald. «Voyons qui
remplira le premier son panier!»

Donald et les enfants se précipitent vers la
basse-cour et commencent à ramasser les œufs.

«C'est facile», pense Donald quand son panier est rempli. Il court le montrer aux enfants, mais il trébuche sur une fourche. Les œufs s'envolent dans les airs — et la plupart retombent sur Donald.

«Je n'aurais pas dû mettre tous mes œufs dans le même panier», dit Donald, tout en se débarbouillant. «Je crois que c'est l'heure de la musique.»

Les enfants le conduisent à la résidence des enfants. Ben montre fièrement à Donald le dortoir où les enfants vivent en commun.

«Ici, c'est comme si nous étions tous frères et sœurs», dit Seth. «Chaque soir, des parents se relaient pour dormir ici avec nous, et c'est un peu comme si nous avions aussi plusieurs parents.»

«Tu devrais voir les fameuses batailles d'oreillers que nous avons!» ajoute Rebecca.

«Nous sommes supposés répéter une danse spéciale pour la cérémonie du Tu Bishevat», dit Donald en consultant le programme. «Je sais exactement quelle musique il nous faut.»

Ayant dit cela, il sort de sa poche une cassette de son groupe rock préféré et la glisse dans le magnétophone. «Quel rythme, n'est-ce pas?» dit Donald en claquant des doigts au son de la musique.

«C'est bien, mais ce n'est pas exactement la musique appropriée au Tu Bishevat», dit Ben. «Voici la cassette que nous a laissée notre monitrice.»

«Nous allons te montrer la danse qui accompagne spécialement cette musique», dit Seth. «La danse s'appelle la hora. Répétons-la tous ensemble.»

«Hé!» dit Donald, pendant que tout le monde danse. «C'est amusant!»

À midi, les enfants partagent leurs sandwichs avec Donald. Puis c'est l'heure du conte.

«Tu voudrais nous en lire un?» demande Léa en lui tendant un livre.

«Bien sûr», dit Donald. Quel n'est pas son étonnement en ouvrant le livre! «Mais quelle sorte de lettres est-ce donc?» demande-t-il.

«Tu tiens le livre à l'envers!» dit Léa. «Le livre est écrit en hébreu. Tu ne sais pas lire l'hébreu?» demande-t-elle.

Donald fait signe que non.

«Je vais te montrer comment écrire ton nom», dit
Léa. Elle écrit alors au tableau noir le nom de
Donald en hébreu.

Donald essaie à son tour de recopier les lettres.
Ce n'est pas aussi facile que c'en avait l'air avec Léa.

«C'est pas mal», l'encourage Seth. «Mais je crois
que nous ferions mieux de nous rendre maintenant
sur les lieux du concours de plantation d'arbres.»

À contrecœur, Donald pose la craie et suit le
groupe vers le champ où on va planter les arbres.

«Comme tout a changé!» s'exclame Donald, quand il aperçoit le champ où il s'était rendu le matin même. La terre est douce et humide, avec des rangs bien espacés qui attendent les jeunes pousses d'arbres.

Tout le monde fait silence quand David commence à parler.

«Il n'y a pas si longtemps, Israël était une terre couverte d'éboulis et de broussailles», dit-il. «La première chose que firent les colons en arrivant fut de planter des arbres et d'irriguer les collines stériles. Ces arbres sont maintenant grands et forts. Dans quelques années, les jeunes pousses d'arbres que nous plantons aujourd'hui deviendront une nouvelle forêt.»

«Que chacun choisisse un rang et commence à planter», dit David. «Celui qui plantera le plus de jeunes pousses choisira le nom du nouveau bosquet.»

Cette fois, Donald travaille aussi fort que les autres. Il commence enfin à comprendre ce qui rend un kibboutz si spécial.

«C'est le partage», pense Donald, se souvenant des enfants qui avaient partagé leurs connaissances avec lui, et même leur repas du midi. «C'est aussi le fait de travailler ensemble et de s'aider les uns les autres pour que le travail soit fait.»

Le temps passe vite et David annonce soudain la fin du concours. Donald est sûr qu'il va gagner.

Après avoir fait le compte des jeunes pousses, David annonce: «Le gagnant est nul autre que notre vaillant invité...»

Donald bombe le torse.

«...Grand'Mère!» dit David. Tout le monde l'acclame et l'applaudit.

Donald s'efforce de ne pas trop montrer sa déception, tandis que Grand'Mère donne une poignée de main à David.

«J'ai déjà choisi le nom du bosquet», déclare Grand'Mère. «Je pense que son nom doit rappeler celui qui a fait aujourd'hui les efforts les plus méritoires. Voilà pourquoi je propose de l'appeler: La forêt de Donald.»

Donald n'en croit pas ses oreilles. «C'est bien vrai?» demande-t-il.

«Tu le mérites bien, Donald», répond Grand'Mère. «Je ne t'ai jamais vu travailler aussi fort.»

Soudain, un orchestre se met à jouer. Rebecca prend Donald par la main.

«Viens», dit-elle. «C'est le moment de danser la hora!»

Grand'Mère saisit l'autre main de Donald. «Israël n'est-il pas un endroit magnifique pour passer des vacances?» demande-t-elle à Donald.

«Sûr!» réplique Donald. «Il y a longtemps que je ne m'étais pas aussi bien amusé!»

Le saviez-vous...?

Chaque pays possède des lieux et des coutumes qui lui donnent un caractère spécial. Voici un petit aide-mémoire sur Israël:

Le kibboutz est un village israélien où chacun vit et travaille en commun et partage chaque chose à parts égales. Tous les membres du kibboutz partagent l'hébergement, la nourriture, de même que l'éducation et les soins de santé. Dans plusieurs kibboutzim, les enfants vivent ensemble dans des résidences pour enfants. Ils voient leurs parents après l'école et les week-ends.

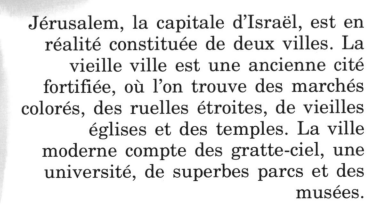

Jérusalem, la capitale d'Israël, est en réalité constituée de deux villes. La vieille ville est une ancienne cité fortifiée, où l'on trouve des marchés colorés, des ruelles étroites, de vieilles églises et des temples. La ville moderne compte des gratte-ciel, une université, de superbes parcs et des musées.

Située en Israël, la Mer Morte est l'étendue d'eau la plus salée au monde. Les objets et les humains flottant dans l'eau salée, il est donc plus facile de flotter sur les eaux salées de la Mer Morte. À vrai dire, il y est presque impossible de plonger sous l'eau.

Grâce aux techniques modernes d'irrigation et de culture, les Israéliens ont transformé le désert en une immense ferme qui produit des fruits, des légumes, des céréales et du coton.

Le Zoo biblique de Jérusalem est très apprécié des enfants. Il est unique au monde, car on y trouve une centaine d'animaux, tous mentionnés dans la Bible.

Lors du Tu Bishevat (tou-bi-chvat),
appelé aussi le Nouvel An des arbres, des
milliers d'arbres sont plantés dans tout
Israël pour célébrer l'arrivée du
printemps.

L'hébreu s'écrit et se lit de droite à
gauche. Pour des gens comme Donald,
c'est un peu comme lire et écrire à
l'envers.

Dans le désert, c'est encore le chameau
qui est le moyen de transport le plus
apprécié. Ces étranges animaux à bosse
peuvent marcher jusqu'à dix jours sous
un soleil torride, sans boire.

En hébreu, shalom est un mot spécial. Il
veut dire «paix» et il remplace aussi
«bonjour» et «au revoir».